\ 시작하며 /

「다른 그림 찾기」가 뇌를 단련하는 "시각 재활 훈련"이 됩니다!

찾지 못할 때는 짜증이 나려고 하지만, 찾게 되면 기분이 홀가분해지는
이런 기분을 느끼게 해주는 것이 바로 여러분이 알고 있는 「다른 그림 찾기」입니다.
이런 다른 그림 찾기가 「시각 재활 훈련」으로써
인지 기능의 유지 및 개선에 효과가 있다는 것을 알고 있나요?

치매 환자를 많이 진찰한 게이힌 병원 원장 쿠마가이 요리요시 선생님은
시각, 청각, 후각, 미각, 촉각이라는 오감 자극이 인지 기능을 유지하는데
중요하다며, 실제로 환자의 재활 훈련에 도입하고 있습니다.
그리고 오감을 자극하는 방법 중에서도
특히 인기가 많은 것이 시각 재활 훈련입니다.

이 책에서는 주제별로 52가지 다른 그림 찾기를 개재하고 있습니다.
즐기면서 치매나 건망증의 예방 및 개선은 물론,
기억력 및 집중력 향상의 효과도 기대할 수 있습니다.
어려운 문제도 있으므로, 여러 번 반복하더라도
재활 훈련 효과가 지속되는 것은 쿠마가이 선생님이 보증합니다.

목차

Part1 「몸에 좋은 음식」편

Part2 「몸과 마음의 건강법」 편

다른그림 찾기 정답

3

치매 환자에게도 효과 있는!
전문의가 추천하는 두뇌 트레이닝
"다른 그림 찾기"

쿠마가이 요리요시 뇌신경외과 전문의·게이힌 병원 원장

1977년 게이오대학 의학부 졸업 후, 도쿄대학 뇌신경외과 교실, 도쿄 경찰 병원, 도립 에바라 병원, 도쿄대학 의학부 부속 병원, 자위대 중앙병원 등을 거쳐서 1992년부터 현직. 뇌신경외과 전문의로 만성기 의료에 전념하고, 치매 치료에 특화되어 있다. 많은 진료 경험에서 독자적인 치매 3단계 케어를 고안했다. 저서로는 「치매는 될 수도 있고, 예방하면 더욱 좋다」(마키노 출판) 등이 있다.

오감, 신체 능력, 의욕으로 인지 기능은 유지된다

우리 병원은 25년 전에 뇌외과 수술 후 환자를 받아들인 것을 계기로 외과 구급 병원에서 치매 환자를 포함한 고령자 전문 병원으로 전환했습니다. 25년 전이라고 하면 치매의 진단과 치료법이 지금과 같이 정리되어 있지 않은 시기였습니다. 그러므로, 직접 많은 환자들과 접하며 모색하는 상태로 치매를 진단하고, 증상의 경감을 위해 노력해왔습니다. 이러한 현장에서의 경험을 기반으로 현재 우리 병원에서는 치매 환자의 치료 방침을 정할 때, 다음과 같은 세 가지 상태를 확인합니다.

① 입력 정보 (지각 신경)
② 출력 정보 (운동 신경)
③ 에너지 (의욕)

① 입력 정보는 눈과 코, 귀 등의 감각기관에서 얻는 정보입니다. 시각, 청각, 후각, 미각, 촉각이라는 감각(오감)의 상태를 확인합니다.
② 출력 정보는 신체 능력입니다. 주로 다리의 근력을 확인합니다.
③ 에너지는 무엇인가를 하려고 하는 의지나 사교성의 정도입니다. 개인차가 있지만 치매 환자는 이 세 가지 요소가 쇠퇴되어 있습니다. 다르게 생각하면, 이 세 가지 요소의 쇠퇴를 예방하면 뇌의 인지 기능은 유지된다고 할 수 있습니다.

오감을 적절하게 자극하면 인지 기능의 저하를 막는다

세 가지 요소 중에서도 특히 ①의 입력 정보는 잠복기나 치매 전조 단계에 있는 경도인지장애 등 빠른 시기에 쇠퇴가 확인됩니다. 치료 현장에서는 예로부터 치매 환자는 후각이 약해진다고 알려져 있습니다. 그리고 최근 연구에 의하면 후각뿐만 아니라 다른 감각의 인지 기능도 저하된다고 알려져 있습니다. 예를 들면, 미국에서는 난청인 사람이 그렇지 않은 사람보다 인지 기능 장애가 될 위험성이 24% 높다고 보고되었습니다.

10명의 얼굴이 숨겨진 그림

이 그림 속에는 10명의 얼굴이 숨어 있습니다. 찾아보세요. (정답은 P.8)

인지 기능이 나빠져서 오감이 쇠퇴하는 것인지, 오감이 쇠퇴해서 인지 기능이 저하되는 것인지 알 수 없습니다. 단, 저는 오감을 적절하게 자극하면 인지 기능 저하를 충분히 막을 수 있다고 생각합니다.

본래 뇌는 오감에서 얻은 입력 정보에 의해 역동적으로 움직이기 시작합니다.

예를 들면, TV에서 관광명소를 보면 그 아름다움에 마음을 뺏기거나 현지에 가보고 싶다는 의욕이 생깁니다. 이렇게 오감에서 얻은 ① 입력 정보는 ② 출력 정보와 ③ 에너지로 발전합니다.

오감의 자극은 인지 기능 유지와 관계가 깊은 세 가지 요소의 회복으로 이어진다고 생각합니다. 그 결과, 개인차는 있지만 증상의 경감과 진행을 늦추는 등의 변화를 확인했습니다. 여기에서는 스스로 가능하면서 환자분들이나 제 주변에서도 인기가 많은 「시각 재활 훈련」 몇 가지 소개합니다.

"시각 재활 훈련이란 무엇을 하는 것일까?"라고 어렵게 느껴질지도 모르지만, 말하자면 시각을 자극하는 다양한 타입의 「다른 그림 찾기」입니다.

10명의 얼굴이 숨겨진 그림으로 인지 기능 확인

이 책에서는 52가지 문제의 다른 그림 찾기가 수록되어 있지만, 그전에 위에 있는 「10명의 얼굴이 숨겨진 그림」으로 스스로의 인지 기능을 확인해 보시기 바랍니다. 본래 인지 기능이라는 것은 "복잡함 속에서 A를 찾아 그것을 A라고 판단하는 능력"이라고 할 수 있습니다. 인지 기능이 저하되면 A를 찾아내는 것도 A라고 판단하는 것도 불가능합니다.

이 숨겨진 그림 속에는 10명의 얼굴이 있습니다. 9명 이상의 얼굴을 찾았다면 현시점에서는 인지 기능에 문제가 없다고 생각됩니다. 6~7명 밖에 찾지 못한 사람은 초기 치매를 의심할 수 있습니다. 만약을 위해서 전문가와 상담을 추천합니다. 그중에는 11명 이상의 얼굴을 찾는 경우도 있습니다. 이것은 루이소체 치매나 발달 장애에 의한 착시가 원인일 수도 있습니다. 루이소체 치매는 치매 전체의 약 20% 정도 되는 병입니다. 이 경우에도 전문가와 상담을 추천합니다.

❶ 이상한 것 찾기

위 사진에 숨어 있는 현실에서는 볼 수 없는 「이상한 것」을 찾아보세요.

정답을 기억하고 있어도 시각 자극은 계속된다

위에 있는 것이 「이상한 것 찾기」라는 문제입니다. 이 문제는 사진 속의 한 곳이 조작되어서 이상한 풍경이 되어 있습니다. 어디가 어떻게 이상한지 찾아보시기 바랍니다.

인지 기능이 저하되면 과거에 본 풍경의 기억과 눈앞의 풍경을 비교하기 어렵습니다. 이것은 기억을 뇌에서 꺼내기 어렵기 때문입니다.

이 시각 재활에서는 사진을 들여다보며 시각 정보를 얻고, 과거에 봤던 비슷한 풍경의 기억을 발굴해서 잘못된 것을 찾아내어 인지 기능의 회복을 촉진합니다.

우측 페이지에 있는 것은 「입체 공간 인지」입니다. 사진의 배경에서 원근감을 생각하며 동물의 본래 위치가 어디인지 맞춰보시기 바랍니다.

그리고 10페이지에서 62페이지까지 총 52문제의 「다른 그림 찾기」에 도전해 보시기 바랍니다. 「다른 그림 찾기」는 많은 분들께 친숙할 것이라 생각됩니다.

② 입체 공간 인지

문제 1 왼쪽의 소는 위 사진에서 A 와 B 중 어디에 위치해야 할까요 ?

문제 2  왼쪽의 양은 위 사진에서 A 와 B 중 어디에 위치해야 할까요 ?

「다른 그림 찾기」는 위아래로 배열되어 있는 2장의 일러스트를 비교하여 서로 다른 곳을 찾는 게임입니다.

이러한 문제를 시각 재활로 활용하지만, 어떤 문제든 반복하면 큰 효과를 기대할 수 있습니다. 문제를 모두 기억했다고 해도 시각이 자극되기 때문에 52문제의 다른 그림을 모두 찾았다고 해도 반복해서 처음부터 다시 도전해 보시기 바랍니다(이 책에는 각각의 다른 그림 찾기에 3번의 해답 시간을 기입하도록 되어 있습니다).

게다가 처음의 세가지 요소는 동시에 자극하거나 사용하는 것에 의해서, 보다 효과적으로 회복됩니다. 여러 명이 수다를 떠는 등, 3요소를 자극하면서 하는 경우에는 효과가 크게 달라집니다. 가족과 함께 즐겁게 떠들면서 하는 것이 가장 이상적입니다.

그리고 정확하게 사물을 보기 위해서는 건강한 시력도 필요합니다. 정기적으로 눈 검사를 받는 것을 추천합니다. 이 책의 다른 그림 찾기에 도전하여, 두뇌 트레이닝을 즐겨보세요!

P5~7의 정답

P6 문제 1

이 나무만 그림자가 없습니다.

P6 문제 2

이 화살표만 반대 방향입니다.

P5

P7

문제 1……B
(오른쪽 아래의 소와 크기를 비교합니다)

문제 2……B
(벤치 오른쪽에 앉아있는 사람과 크기를 비교합니다)

\ Part1 /

다른 그림 찾기
「몸에 좋은 음식」

건강을 위해서는 일상적인 식사가 중요합니다.

Part 1에서는 몸에 좋은 음식에 대한

일러스트의 다른 그림 찾기에 도전해 보세요!

건강에 도움이 되는 칼럼도 읽으며,

즐겨보시기 바랍니다.

1

브로콜리

브로콜리는 영양이 풍부한 대표적인 녹황색 채소입니다. 최근에 다양한 연구 성과에서 치매나 암, 다이어트에 효과가 있다고 밝혀져 주목받고 있습니다. 어떤 요리와도 잘 어울리고 사용하기 쉬운 채소이기 때문에 건강을 위해서 적극적으로 섭취하시기 바랍니다!

날짜	걸린 시간
/	분
/	분
/	분

2
무

무의 효능을 충분히 살리기 위해서는 생으로 먹는 것이 좋습니다. 특히, 비타민 C는 중심부보다 껍질에 2배 많이 들어있어서 껍질째 먹는 것이 좋습니다. 껍질 부분은 매운맛이 강하기 때문에 무와 과일을 함께 믹서기로 갈아서 「무 스무디」를 만들면 마시기 쉽습니다.

날짜	걸린 시간
	분
	분
	분

3

당근 주스

암 전문의가 매일 마시는 「당근 주스」. 이 위력은 실제로 암이 사라졌다는 사람이 있을 정도입니다. 암뿐만 아니라 눈의 난치병인 「노화 관련 황반변성」의 예방 및 개선, 다이어트, 그리고 신기하게도 티눈에도 효과가 있다고 합니다. 당근 주스의 생활화를 시작해보세요.

날짜	걸린 시간
/	분
/	분
/	분

4

다시 국물(육수)

누구나 좋아하는 다시 국물. 카츠오부시에는 이노신산, 다시마에는 글루탐산이라는 감칠 맛 성분이 포함되어 있어서 자극적인 맛에 길들어 있는 미각을 정상적으로 되돌려서 과식을 예방할 수 있습니다. 요리에 사용 할 뿐 아니라 그대로 마셔도 맛있으니 건강 을 위해서 하루에 한 잔 마셔보세요.

날짜	걸린 시간
	분
	분
	분

5

귤

귤은 대표적인 겨울 과일로 하루에 4개 정도 먹으면 당뇨병 발생 위험이 60%나 줄어든다는 연구 결과가 있습니다. 게다가 골다공증이나 동맥경화도 예방하고, 껍질에는 꽃가루 알레르기로 인한 가려움에 효능이 있다고 합니다. 귤을 많이 먹으세요!

날짜	걸린 시간
/	분
/	분
/	분

6

오이

오이는 대표적인 여름 채소로 지방을 분해하는 효소가 풍부하여 다이어트에 좋습니다. 오이를 먹고서 11kg을 감량했다는 유명인도 있습니다. 여름에는 오이를 먹어서 날씬해지세요!

날짜	걸린 시간
	분
	분
	분

7

녹차
찬물에 우린

녹찻잎을 찬물에 우리
면 면역력 향상 성분
인 「에피갈로카테킨」
이 나와서 뜨거운 물
에 넣었을 때보다 건
강 효과가 좋습니다.
게다가 떫은맛이 적고
부드러워서 어린이부
터 어른까지 누구나
맛있게 드실 수 있습
니다. 이번 여름에는
찬물에 우린 녹차를
드셔보세요!

날짜	걸린 시간
/	분
/	분
/	분

8

감주

감주는 겨울에 어울리는 것 같지만, 본래는 여름에 마시는 음료입니다. 더위에 지치기 쉬운 여름의 자양강장제로 예로부터 애용되었습니다. 감주는 얼려서 보관 가능하고, 피부, 변비, 다이어트에 추천합니다. 꼭 만들어 보시기 바랍니다.

날짜	걸린 시간
	분
	분
	분

9

토마토

「토마토가 빨갛게 익으면 의사 얼굴이 파랗게 된다」라는 유럽 속담이 있을 정도로 건강에 좋은 토마토. 혈당 수치의 상승을 억제하고 피부에 좋고 우울증까지 예방하는 등 많은 의사가 추천하는 채소입니다. 레시피도 풍부해서 다양한 일상 요리에 토마토를 활용해 보세요!

날짜	걸린 시간
/	분
/	분
/	분

10

콩가루 음료

콩가루를 우유나 두유에 섞어서 만드는 콩가루 음료는 몸에 좋아서 인기가 많습니다. 실제로 마셔본 분들은 「갱년기의 안면 홍조가 개선되었다」, 「흰머리가 줄었다」, 「피부가 깨끗해졌다」 등의 효과가 있었다고 합니다. 응용하기에 따라 다양한 맛으로 즐길 수 있습니다!

날짜	걸린 시간
/	분
/	분
/	분

11

딸기 식초

꼭지를 딴 딸기를 각 설탕과 식초에 이틀 정도 담가서 만드는 「딸기 식초」는 고혈압 예방과 다이어트에 효과가 있습니다. 딸기 향과 단맛이 식초에 녹아 나와서 놀랄 만큼 맛있습니다! 꼭 만들어 드셔보세요. 식초를 싫어하는 사람도 맛있게 마실 수 있고, 절인 딸기도 먹을 수 있어 좋습니다.

날짜	걸린 시간
	분
	분
	분

12 간 무

무에는 암과 몸의 산화를 예방하는 다양한 영양소와 효소가 포함되어 있습니다. 이러한 것을 더욱 효율적으로 섭취하기 위해서 「갈아서」 먹는 것이 중요합니다. 껍질째 갈아서 가열하지 않고 바로 먹는 것이 효소를 효율 높게 섭취하는 방법입니다.

날짜	걸린 시간
	분
	분
	분

레몬

건강에 좋은 과일로 친숙한 「레몬」은 실제로 장수하신 많은 분들이 즐겨 드셨다고 합니다! 그리고 요리에 레몬을 사용하면 노화 물질이 줄어든다는 것이 밝혀졌습니다. 혈압을 낮추고, 뼈를 단단하게 하고, 피로를 회복하는 등 다양한 건강 효과도 기대할 수 있습니다.

날짜	걸린 시간
	분
	분
	분

양파 껍질 차

양파는 건강에 좋은 채소로 인기가 많습니다. 사실 양파 「껍질」에는 좋은 성분이 듬뿍 들어있어서 혈압과 혈당치, 간 기능 등의 개선에 도움이 됩니다. 껍질을 일주일 정도 말려서 찬물에 우린 「양파 껍질 차」는 영양 성분을 효율적으로 섭취할 수 있어서 추천드립니다.

날짜	걸린 시간
	분
	분
	분

15

파인애플 식초

파인애플을 식초에 담근 「파인애플 식초」는 자외선으로 상하기 쉬운 피부 상태를 정돈하는 데 도움을 주는 파인애플 성분을 효과적으로 섭취할 수 있어 여름에 최적입니다. 체중 감량과 중성지방 수치를 내리는 데에도 효과가 있습니다. 잘라서 파는 파인애플을 사용하면 쉽게 만들 수 있습니다.

날짜	걸린 시간
	분
	분
	분

16
홍차

홍차에 들어있는 폴리페놀에는 혈당 수치의 상승을 억제하는 효과가 있습니다. 지방 흡수를 억제하고 혈압을 낮추는 효과도 있습니다. 그리고 피부 노화를 촉진하는 「당화」를 억제한다고 알려져 있습니다. 오후 티타임에 홍차를 드셔보세요!

날짜	걸린 시간
	분
	분
	분

식힌 군고구마

고구마는 달콤하고 맛
있어서 다이어트에 도
움이 되지 않을 것 같
지만 그렇지 않습니
다. 고구마를 가열한
후 냉장고에서 넣어서
식히면 다이어트 효과
가 좋아집니다! 혈당
수치 상승을 억제하는
대단한 식재료로 바뀝
니다. 꼭 드셔보세요!

날짜	걸린 시간
/	분
/	분
/	분

18

마늘

피로 회복의 대표적인 식재료인 마늘은 항균, 항바이러스 작용이 있으며 알리신이라는 성분이 풍부하게 포함되어서 감기, 독감, 식중독 예방에 효과적입니다. 그리고 아조엔이라는 화합물이 혈전을 방지해서 뇌경색을 예방하기도 합니다.

날짜	걸린 시간
/	분
/	분
/	분

19
계란밥

모두가 좋아하는 계란밥에는 골다공증 및 오연성 폐렴을 방지하고 식후 혈당치 상승을 억제하는 효과가 있습니다. 간단하게 만들어 먹는 데 비해서 몸에 좋은 스피드 메뉴입니다. 낫또에는 뇌 신경세포를 구성하는 성분인 레시틴이 많이 포함되어 있어 치매에도 효과적이니 함께 드시면 좋습니다.

날짜	걸린 시간
/	분
/	분
/	분

\ Part2 /

다른 그림 찾기
「몸과 마음의 건강법」

건강을 위해서는 운동과 오락 등으로

심신을 지키는 것도 중요합니다.

Part 2에서는 스포츠, 게임, 셀프 케어 등에 대한

일러스트의 다른 그림 찾기에 도전해 보세요!

물론 건강에 관한 칼럼도 꼭 읽어보세요!

20

배를 따뜻하게

배에는 위를 비롯한 내부 장기가 들어 있습니다. 배가 차가워지면 내부 장기가 차가워지는 것을 의미하며, 내부 장기가 차가워지면 면역력이 저하되고 전신에 나쁜 영향을 미치게 됩니다. 복대나 보온 물주머니 등으로 배를 따뜻하게 하는 것은 몸 상태가 나빠지는 것을 예방하는 첫걸음입니다.

날짜	걸린 시간
	분
	분
	분

21

머리 마사지

탄력 있는 아름다운 머리카락을 유지하기 위해서는 두피의 혈액 순환을 촉진하는 것이 중요합니다. 매일 머리 마사지를 하는 것은 간단한 셀프케어 방법입니다. 그리고 머리에는 혈자리와 온몸과 연결된 반사구가 있어서 손가락으로 눌러주면 컨디션 조절에 효과가 있습니다. 얼굴 근육과도 연결되어 있어서 피부 주름 대책도 됩니다.

날짜	걸린 시간
	분
	분
	분

22

손가락 뒤로 젖히기

손가락을 시원하게 뒤로 젖혀 보세요. 뒤로 잡아당긴 손가락부터 혈액 순환이 되는 느낌이 나지 않나요? 실제로 손가락을 뒤로 잡아당기면 온몸의 혈액순환이 좋아져서 다양한 컨디션 개선에 좋다고 합니다. 어디서든 가능한 간단한 건강법이니 꼭 습관으로 만들어 실천해 보세요.

날짜	걸린 시간
	분
	분
	분

23

스쿼트

스쿼트는 건강을 위한
대표적인 「체력 단련」
운동이지만, 사실은
체력 단련 훈련 효과
이외에 뇌의 활성화에
도 효과가 있습니다.
게다가 힘들면 힘들수
록 뇌 활성 효과가 좋
아집니다. 절대로 무
리하면 안 되지만 가
능한 범위에서 열심히
해 보세요!

날짜	걸린 시간
	분
	분
	분

24
낮잠

낮잠은 뇌와 몸에 정말 좋습니다. 미국 NASA의 연구에 의하면 낮잠을 26분 정도 자면 인지 능력이 34% 상승한다고 합니다. 그리고 유럽의 연구에서는 주 3회 30분의 낮잠이 심장병에 의한 사망 위험을 37%나 낮춘다는 결과가 있습니다. 적극적으로 낮잠을 자보세요.

날짜	걸린 시간
/	분
/	분
/	분

귀 잡아당기기

귀에는 온몸과 연결된 혈자리와 반응점이 있습니다. 그런 귀를 가장 간단하고 효율적으로 자극하는 방법이 「귀 잡아당기기」입니다. 귀를 잡고 가볍게 당기는 것만으로도 놀랄 만큼 많은 증상에 효과가 있습니다. 살이 8kg 빠지거나 치매가 개선되는... 지금 바로 도전해 보세요!

날짜	걸린 시간
/	분
/	분
/	분

두뇌 트레이닝

다른 것이 5개 있어요

날짜	/	/	/
걸린 시간	분	분	분

25번 문제까지의 다른 그림 찾기는 어떠셨나요? 「다른 그림 찾기」는 훌륭한 시각 재활의 한가지 방법으로, 두뇌 트레이닝에도 적합합니다. 지금까지 이 책의 딱 절반을 진행하였습니다. 26번과 27번 문제는 다른 곳을 5개로 늘렸습니다. 난이도가 약간 높을 수 있지만, 즐겁게 도전해 보세요!

27

게이트볼

날짜	╱	╱	╱
걸린 시간	분	분	분

고령자 스포츠로 친숙한 게이트볼은 한 시합에 30분으로 평균 700 걸음 이상 걸어서 다리와 허리의 근력 유지에 좋은 스포츠입니다. 그리고 전략을 구사하기 위해서 그때그때 임기응변의 판단이 필요해서 뇌의 활성화에도 기여합니다. 최근에는 고등학생에게도 인기가 있습니다.

손 주무르기

손에는 다양한 혈자리와 반사구가 있습니다. 「손 주무르기」는 매우 간단한 셀프케어입니다. 자세한 포인트를 잘 몰라도 괜찮습니다. 엄지와 검지의 뼈가 만나는 곳에 있는 만능 혈자리인 「합곡」을 주무르는 것만으로도 어깨결림이나 두통, 피로회복에 효과가 있습니다.

날짜	걸린 시간
	분
	분
	분

29

발목 돌리기

발이 부어서 고민이신 가요? 이런 분들께 「발목 돌리기」를 추천 합니다. 하반신에 머 물러 있는 혈액을 심 장으로 보내는 「종아 리 근육」이 풀어집니 다. 혈액 순환이 좋아 져서 부기와 냉기가 개선됩니다. 게다가 발목이 이완되어서 전 신의 틀어짐도 개선됩 니다.

날짜	걸린 시간
/	분
/	분
/	분

누워서 다리 올리기

누워서 다리를 올리는 간단한 동작만으로도 놀랄 만큼 많은 건강 효과가 있다는 것을 알고 계세요? 온몸의 혈류가 좋아져서 부기가 사라질 뿐 아니라, 야간 빈뇨나 요실금을 개선하고, 요통과 무릎 통증, 고관절 통증 등의 개선에도 효과가 있습니다.

날짜	걸린 시간
/	분
/	분
/	분

31

팔 흔들기

"최근, 몸이 개운하지 가 않아...."라는 분에 게 추천해 드리는 것 이 팔을 앞뒤나 좌우 로 흔드는「팔 흔들 기」입니다. 팔을 흔드 는 것만으로도 기의 순환이 좋아져서 컨디 션이 좋아집니다. 게 다가 기초대사도 좋아 져서 지방을 태우는 효과도 있습니다. 꼭 한 번 실천해 보세요!

날짜	걸린 시간
/	분
/	분
/	분

종아리 주무르기

심장에서 보내진 혈액이 다시 심장으로 돌아오기 위해서는 종아리의 펌프 작용이 매우 중요합니다. 「종아리는 두 번째 심장」이라고도 불립니다. 건강한 종아리를 유지하기 위해서 「종아리 주무르기」를 추천합니다. 근육을 유연하게 하여 혈액 순환을 촉진하고 부기와 허리 통증 등의 개선에 도움이 됩니다.

날짜	걸린 시간
/	분
/	분
/	분

33

움직이기
표정근

최근에 얼굴 탄력이 없어졌다고 생각되는 분은 얼굴의 표정근을 움직여 보세요. 얼굴을 주글주글하게 구겨 보고, 혀를 내밀어서 좌우로 움직이는 등 재미있는 얼굴을 만들어 보면 놀랄 만큼 얼굴이 팽팽해집니다! 얼굴 근육의 뭉친 부분이 시원해지고 표정도 풍부해져서 주위에도 좋은 인상을 줄 수 있습니다.

날짜	걸린 시간
/	분
/	분
/	분

독서

여러분은 독서를 하시나요? 독서는 뇌의 활성화에 좋은 것은 물론, 수명에도 좋은 영향을 미친다는 것이 알려져 있습니다. 미국 예일대의 연구에 의하면 하루에 30분 독서로 사망 위험이 20% 감소한다고 합니다. 뇌에도 몸에도 좋은 독서를 습관으로 만들어 보세요.

날짜	걸린 시간
	분
	분
	분

35

발 벌
가 리
락 기

여러분은 본인의 「발가락」을 잘 움직일 수 있나요? 보통은 그다지 의식하지 못하는 발가락이지만, 사실 발가락은 몸의 기본입니다. 발가락 운동을 잘하면 관절과 내장의 부담이 줄어들고 몸의 통증 개선에도 좋습니다. 게다가 다이어트에도 도움이 됩니다! 간단히 실천할 수 있으니 꼭 해보시기 바랍니다!

날짜	걸린 시간
/	분
/	분
/	분

통 목욕하기

통 목욕은 하루의 피로를 치유해 줍니다. 따뜻한 물의 온도를 조절하는 것에 따라 그 효과가 달라집니다. 42℃ 정도의 탕에 들어가면 교감신경이 움직여서 몸이 깨어나는 데 도움이 되므로 아침 목욕에 추천합니다. 38℃ 정도의 탕은 부교감신경을 자극해서 릴랙스 효과가 있으므로 취침 전에 추천합니다.

날짜	걸린 시간
/	분
/	분
/	분

운전

고령 운전자의 교통사고가 사회문제입니다. 교통사고는 피해자뿐만 아니라, 가해자 및 그들의 가족에게도 불행한 일입니다. 운전하는 사람은 항상 안전 운전을 명심해야 합니다. 그리고 뇌 재활 운동으로 인지 능력을 유지하면 사고를 예방하는데 효과가 있습니다.

날짜	걸린 시간
/	분
/	분
/	분

38

맨발

건강을 위해서는 「맨발」로 있는 것을 추천합니다. 미국의 연구에 의하면 맨발로 달리기를 한 후의 작업 기억이 16% 향상되었다는 결과가 있습니다. 맨발로 서 있으면 몸 안의 정전기가 빠져나가서 질병의 예방과 개선에 도움이 된다고도 합니다. 상처가 나지 않도록 주의하며 맨발이 되는 기회를 늘려보시기 바랍니다.

날짜	걸린 시간
/	분
/	분
/	분

가글

「만병의 원인」이라고 불리는 치주병은 사실 누구나 매일 하는 「가글」로 예방 및 개선이 가능합니다. 그 효과를 올리는 손쉬운 방법은 물을 입에 넣고 뺨을 부풀려서 소리가 날 정도로 강하고 빠르게 가글 하는 것으로, 치주병의 원인이 되는 치석을 씻어내 줍니다.

날짜	걸린 시간
/	분
/	분
/	분

40

슬로우 조깅

걷는 것보다 천천히 뛰는 「슬로우 조깅」을 알고 계세요? 일반적인 조깅보다 건강 효과가 좋고 혈당치를 내리는 작용을 한다고 합니다. "그렇지만 밖에서 달리는 것은 귀찮아"라고 생각하는 당신! 괜찮습니다! 집 안에서도 할 수 있으므로 지금 바로 시작해 봅시다!

날짜	걸린 시간
/	분
/	분
/	분

엎드린 자세

엎드려서 상체를 약간 일으키는 「물개 자세」는 정말 간단하고 편하게 할 수 있는 자세로, 허리 통증과 골다공증 개선에 효과가 있습니다. 둥글게 굽은 등도 펴집니다. 정형외과 명의가 추천하는 자세로 허리가 아파도 가능하므로 도전해 보세요.

날짜	걸린 시간
/	분
/	분
/	분

42

주무르기
발바닥

발바닥에는 온몸과 대응되는 혈자리가 있다고 합니다. 그래서 발바닥을 주무르는 것만으로도 다양한 증상을 개선할 수 있습니다. 어지럼증이 사라지고, 혈당치가 떨어지고, 척추관 협착증에 의한 통증이 사라지는 등 그 효과는 정말로 폭넓습니다. 고민되는 증상이 있다면 꼭 도전해 보세요!

날짜	걸린 시간
/	분
/	분
/	분

43

어깨 으쓱으쓱

스마트폰의 보급에 의해 급증하고 있는 「거북목」은 보기에도 좋지 않지만, 어깨 결림, 시력의 저하와 어지럼증, 척추관 협착증이라는 무서운 질병의 원인이 됩니다. 어깨를 으쓱으쓱하며 올렸다 내리면 어깨 주변 근육이 풀어집니다. 거북목을 시작으로 어깨 결림, 굽은 등의 개선에 효과적입니다.

날짜	걸린 시간
	분
	분
	분

44 스트레칭

"건강을 위해서 운동해야 해!"라고 생각하더라도 바로 실행하는 것은 상당히 어렵습니다. 그렇다면 방 안에서 간단한 스트레칭을 시작해 보는 것은 어떨까요? 스트레칭을 하면 혈액 순환도 좋아지고 기분도 좋아집니다! 작심삼일이 되는 운동보다 매일매일 가능한 스트레칭이 더 효과적입니다.

날짜	걸린 시간
/	분
/	분
/	분

스마트폰 사용하기

최근에는 고령자분들
도 스마트폰을 사용
합니다. 스마트폰에서
가장 알고 싶은 것은
손쉽게 메시지를 주고
받을 수 있는 「카카오
톡」 같은 메신저 서비
스가 아닐까요? 이것
만 잘 알아두면 멀리
사는 자식이나 손주들
과 연락을 간단히 할
수 있습니다.

날짜	걸린 시간
	분
	분
	분

46

반신욕

명치부터 아랫부분을 따뜻한 물에 담그는 「반신욕」은 대표적인 건강법입니다. 여러분도 한 번쯤은 해 본 적이 있으시죠? 사실, 이 반신욕은 놀랄 만큼 독소 배출에 효과가 있습니다. 암과 녹내장 등의 난치병까지 극복한 사람도 있다고 합니다. 지금 바로 반신욕을 하고 싶어지네요!

날짜	걸린 시간
/	분
/	분
/	분

47

입 벌리기

"입을 벌리면 만병이 낫는다"라는 거짓말 같은 말이 있지만, 사실입니다. 턱관절은 신경과 골격의 급소입니다. 입을 벌리면 이곳의 긴장이 완화되어 그것과 동반된 전신의 상태가 개선된다고 합니다. 자주 이를 꽉 무는 습관을 지닌 분은 한 번 "아〜" 하고 크게 입을 벌려보세요.

날짜	걸린 시간
	분
	분
	분

48

배 주무르기

한번 살이 붙으면 어떻게 해도 잘 없어지지 않는 뱃살! 불룩 나오고, 통통하게 살이 올라있는 뱃살에 추천하는 것이 「배 주무르기」입니다. 살을 빼고 싶은 부분의 피하지방을 스스로 풀어주는 것만으로도 효과가 있습니다. 여름이 오기 전에 살을 빼보세요!

날짜	걸린 시간
/	분
/	분
/	분

49

까치발 서기

간단하게 할 수 있는 대표적인 운동인「까치발 서기」는 발끝을 정면을 향하게 하는 방법뿐만 아니라, 바깥쪽, 안쪽으로 돌리면서 하면 효과가 더욱 좋아질 수 있습니다. 종아리 근육이 골고루 단련되어 전신의 혈액순환이 효율적으로 잘 되어서 컨디션이 좋아진다고 합니다. 꼭 한 번 도전해 보세요!

날짜	걸린 시간
/	분
/	분
/	분

50

족욕

발을 따뜻하게 하는 것은 몸에 좋은 영향을 미칩니다. 여기에서 추천하는 것은 「족욕」입니다. 발부터 시작하여 전신의 혈액순환이 좋아지면 면역력도 좋아지고, 뇌도 활성화되어서 생각하는 힘이 좋아집니다. 잠들기 전에 적당히 따뜻한 물에 담그면 부교감 신경이 자극되어서 숙면을 취할 수도 있습니다.

날짜	걸린 시간
/	분
/	분
/	분

정리 · 청소

그때그때 청소하는 것은 매우 중요합니다. 몸도 마음도 재정비되어서 일을 더욱 효율적으로 할 수 있습니다. 그리고 시간도 효율적으로 사용할 수 있게 됩니다. 여가 시간이 생기고, 운동할 시간도 생깁니다. 몸과 마음 모두 건강하게 되고, 좋은 일이 많이 생길 것입니다.

날짜	걸린 시간
	분
	분
	분

52

설렘을
나이가 들어도

"이제 나는 나이가 많으니까..."라고 생각해서 연애에 겁쟁이가 되지 않았나요? 그러면 안 됩니다. 항상 젊게 살고 싶고, 이성에게 호감을 주고 싶다는 마음이야말로 건강과 장수에 중요합니다. 연애는 몸과 마음에 긍정적인 영향을 미칩니다. 나이가 몇 살이 되어도 설렘을 가지고 살아가세요!

날짜	걸린 시간
/	분
/	분
/	분

다른그림찾기 정답

① 브로콜리 P10

② 무 P11

③ 당근 주스 P12

④ 다시 국물(육수) P13

⑤ 귤　P14

⑥ 오이　P15

⑦ 찬물에 우린 녹차　P16

⑧ 감주　P17

⑨ 토마토　P18

⑩ 콩가루 음료　P19

⑪ 딸기 식초　　P20

⑫ 간 무　　P21

⑬ 레몬　　P22

⑭ 양파 껍질 차　　P23

⑮ 파인애플 식초　　P24

⑯ 홍차　　P25

17 식힌 군고구마　　P26

18 마늘　　P27

19 계란밥　　P28

20 배를 따뜻하게　　P30

21 머리 마사지　　P31

22 손가락 뒤로 젖히기　　P32

23 스쿼트   P33

24 낮잠   P34

25 귀 잡아당기기   P35

26 두뇌 트레이닝   P36

27 게이트볼   P37

28 손 주무르기   P38

29 발목 돌리기　　　　　P39

30 누워서 다리 올리기　　　　　P40

31 팔 흔들기　　　　　P41

32 종아리 주무르기　　　　　P42

33 표정근 움직이기　　　　　P43

34 독서　　　　　P44

35 발가락 벌리기   P45

36 통 목욕하기   P46

37 운전   P47

38 맨발   P48

39 가글   P49

40 슬로우 조깅   P50

41 엎드린 자세   P51

42 발바닥 주무르기   P52

43 어깨 으쓱으쓱   P53

44 스트레칭   P54

45 스마트폰 사용하기   P55

46 반신욕   P56

뇌신경 전문의가 추천하는 두뇌 트레이닝!
하루3분 두뇌가 활성화되는
다른그림찾기

1 판 1 쇄 발행 2023 년 6 월 15 일

감　　수　　쿠마가이 요리요시
일러스트　　D= 준쿠
옮긴이　　　권효정
펴낸이　　　김현준
펴낸곳　　　도서출판 유나

경기도 용인시 수지구 만현로 20, 성산빌딩 2 층 203 호
전화 0505-922-1234　　　팩스 0505-933-1234
kim@yunabooks.com　　　www.facebook.com/yunabooks
www.yunabooks.com　　　www.instagram.com/yunabooks

ISBN 979-11-88364-33-6 (14650)
ISBN 979-11-88364-32-9 (세트)

* 잘못된 책은 구입처에서 바꾸어 드립니다.　　　　* 책값은 뒤표지에 있습니다.